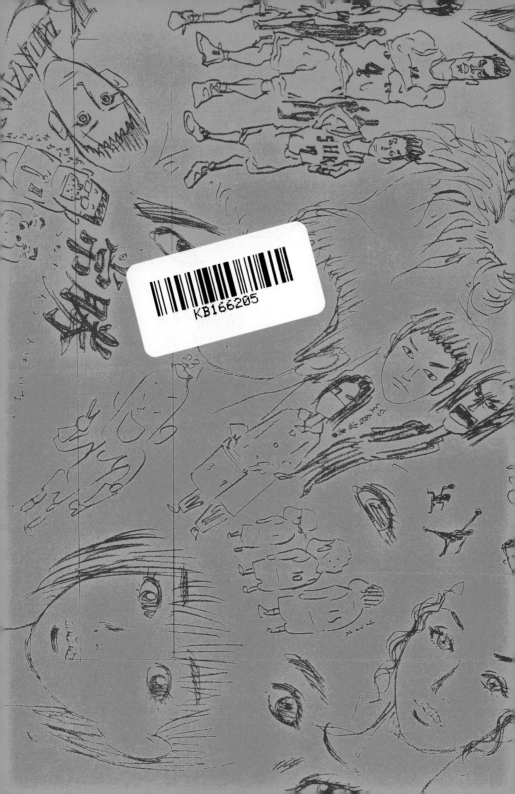

Premium

SLAM DUNK

슬램덩크 완전판 프리미엄

TAKEHIKO INOUE

01

● CONTENTS ●

Repletion

SLAM DUNK

슬램덩크 오리지널 그래디션

TAKEHIKO INOUE

01

● CONTENTS ●

#1 강백호

4월
북산고교 -

1학년 7반

야, 호열아
백호는
좀 어떠냐?

아직
제정신을
못 차리고
저 상태야.

야 - 백호야,
힘내라구!
농구부가 뭐
별거냐?

농구부 경민이가
더 좋아.
미안해.

녀석, 보기보다
꽤 내성적이란
말이야.

고교생이 되면
다시
정신차릴 줄
알았는데.

뭐, 바스켓 (농구)?

시끄럿!!

야, 맛있냐? 누군 팔자 좋게 '비스켓'이나 먹고.

말았어 야지.

아이고, 불쌍한 대남이. '농구'란 말은 입 밖에도 내지

바스켓 카페?

그런데?

어제 '바그다드 카페'라는 영화를 봤는데…

응!

저 녀석, '바스켓(농구)' 신경과민 아니야…?

좋아
하시나구요?

농구…

이게
꿈이냐, 생시냐!
이런 천사가
나에게…!

누구지!

몰라.

서태웅?

서태웅 선수보다 더 클 것 같은데!

키가 아주 크신데요.

어머~ 멋져! 굉장한 근육이네!

아… 아뇨. 그게….

어머, 다리도…! 당신 운동 선수로군요!

야, 거기 빨강머리.

1학년인가? 이름은 뭐지?

응?

스포츠 스타 강백호 입니다!

잘 봐주세용.

방과 후, 옥상으로 와.

도망치면 죽을 줄 알아.

이봐…

이봐, 비켜!

콜록 콜록!

숨통 끊어질 뻔 했잖아.

후우ー.

고교 생활의 무서움을 가르쳐주지!

방과후

아니! 전혀 없어.

나 한가해!!

뭐, 특별한 일이 있다면야….

소연아…!!

잠깐 농구부에 들르지 않을래?

저… 시간 있으면

어? 백호가 어디 갔지?

!!

자―! 어서 가자, 소연아!!

응.

다 다 다

〈옥상〉

이 영걸이가 북산고의 공포를 듬뿍 맛보게 해줄테다.

어서 와라, 강백호!

부탁해, 영걸아!

끼
윽!

레이업
슛…!!

네!
채소연 선수,
공을 가로
챘습니다!

얍

얍

탕
탕
탕
탕

……

백호 네가
해봐!

애고애고~.

!!

앗!

참,
백호 너!
덩크라는 거
알아?

그래서
고등학교에서는
농구를 하지
않으려고….

헤헤,
사실 난
운동신경이
좀 둔해.

어릴 적부터
오빠가
농구하는 걸
쭉 봤었거든.

너무
너무!

하지만,
보는 건
좋아해.

멋졌어, 정말!

멋있었어!!

엇! 쟤는 소연이.

죽었나?

왜 저러지?

야, 너 뭐하냐? 먼저 간 줄 알았더니 이런 데 자빠져서….

으이구, 복도 없는 녀석!!

흐음, 요녀석! 알았다. 아무도 없는 체육관에서 소연이한테 응큼한 짓을 하려다, 오히려 박치기 한방 먹었구나!

농구부의 구세주야, 오빠!

구세주야!!

반드시!!

왜 이리 늦지!!

강백호는 농구부의 구세주가 될 거야!

하하하! 내 그럴 줄 알았어!

으응?

칫, 왠지 나보다 잘 생긴 놈을 보면 기분 나빠.

저 녀석도 키가 백호 정도 되겠는걸?

1학년인가?

#2 서태웅

소연이 너, 보기보다 배짱이 좋은데?

뭐?

저런 불량스런 애와 얘기도 다 하구.

굉장히 불량스럽대 -.

해동중학교에서 온 애한테 들었는데, 강백호랑 걔 친구들 말야.

강백호 말이니?

강백호!!

양호열!!

이봐!!

이용팔   노구식   김대남

그밖에 (엑스트라)!!!

저렇게 부담없이 얘기할 수 있는 사람은 처음이었어.

그래도, 백호랑은 아주 얘기가 잘 통하는걸?

학교에서도 벌써 3학년 선배들한테 찍힌 것 같아.

중학교 때는 이 근처에서 알아주는 불량아였대.

소연이 너, 무섭지 않니?

보기보다 좋은 사람이야.

네가 봐도 그렇지?

소연이는 정말 예쁘긴 해.

상냥하고 얌전하고.

야, 백호야! 너 그렇게 열올리다가 또 퇴짜맞고 우는 거 아니냐?

이 녀석이 …!

우웃!

남자들이 그냥 내버려뒀을 것 같냐고—.

그런데 그런 예쁜 애에게 남자친구가 없을 것 같냐?

아직 그렇게
단정짓지는 마.

소연이에게
물어보면
되잖아.

뭐?
서태웅?

소연이의
남…남자
친구이지…
않니…??

그,
그러니까.

두근 두근

서, 서,
서태웅군이
뭘?

아…아니야!!

역시, 서태웅이 남자친구란 말이야?!

봐, 저 당황하는 얼굴을….

역시, 서태웅이 애인이야.

뭐… 아니라구…!!?

!!

서태웅 선수는 '나' 라는 아이따윈 모르는걸.

··········

돈내기까지 했구나….

응?

약오르지? 요녀석들. 뭐가 애인이고 남자친구냐!!

난 서진중학교였는데…. 우리 학교에서 가까워서 자주 연습시합을 보러가곤 했지.

서태웅군은 신라중학교 농구부였어.

농구는 한 팀이 5명이니까, 단 한 사람을 3명이 마크해버리면 나머지 2명은 4명을 방어해야만 했어. 그렇게 무리해서라도 서태웅군을 막으려 했지.

그러니까…

한 사람에게 세 사람이?

우리 학교에서는 언제나 서태웅군을 철저히 마크했지만, 아무리 해도 그의 멋진 플레이는 저지할 수 없었고….

그래서, 서태웅군은 늘 세 사람이 함께 마크를 했어.

그 시합에서 그는 무려

51점을 득점했어.

BASKETBALL FREAK

서진중학 신라중학

5 0 6 6

그렇지만 서태웅군은 그 시합에서 3명의 마크를 제치고,

4골의 덩크로 우리 학교를 패하게 만들었어.

지금도 그날의
서태웅 선수의
모습이 눈에
선한걸!

아니?

백호랑
얘기하고
있으면
너무 편해서
그만….

앗!

어머,
난 몰라.
그런
얘기까지
하다니.

그, 그래서
소연이는
서태웅을?

서…
설마….

깜짝

………
!!

나 갔다가
너는 밤낮
장난하나~

이랬다가
저랬다가
왔다 갔다

난
완전히
새됐어~

너만을
바라보던
날 차버렸어

당신은
아름다운
비너스~

난 완전히
새됐어~

버림받은 백호
위로노래 모집

☎140-013
서울시 용산구
한강로 40-1456
「블랙팅크」 백호
위로노래 담당까요

이번엔
정말 상처
받았나 봐.

백호가
너무 안됐어.
흑흑~.

강백호 어딨어!

뭐, 뭐야? 너희들은?!

걱정 마십시오. 바로 나갈테니까.

방과후 옥상으로 와라. 이번에도 도망쳤다간 각오하는 게 좋을 거다.

강백호!! 용건은 알고 있겠지?

Blood

이 녀석이
…!!

선배를 차놓고
그딴 소리가
나오냐…!!

으으!
컥! 컥!

각오해라!!

훗~.
네게도 북산고의
공포를 느끼게
해줄 필요가
있을 것 같구나.

……
……
……
……

#3 Blood

좋아, 옥상으로 가자!

3학년 선배고 뭐고 끝장 내주는 거야.

응?

둘이서 어디 가는 거야?

야, 백호야! 호열아!

자, 가자!! 장소는 어디야!?

우리도 함께 간다!!

이대로 엑스트라 취급받는 건 참을 수 없다!

재들, 왜 열내고 난리야…?

야, 너희들. 눈에 살기가 가득한 거 보니까 싸우러 가는 게 분명하지?

짜식들! 참견하지 마라.

뭐야!? 너까지 우리들을 엑스트라 취급하는 거냐?

서태웅!?

서태웅!

쟤가
서태웅!?

바로
소연이가
짝사랑하는….

이
너석이…

서태웅!!

?

우왓!! 지금 이 녀석과
질투에 불타 이성을 잃고 있는
백호가 붙는다면…
사상최악의 대형 사고다!!

정말 저 녀석이
혼자서
영걸 선배일당을
해치운 걸까?

?

너 뭐야?
이 녀석들과
한패냐?

히-야.
이거 너무
재미있어지는걸?

엉?

뭐라고!
내, 내 거룩한
이름을

백호야!
좀
진정해!!

가르쳐
줄까!!

백호야!

| 학년 7반

서태웅군,
괜찮아요?

잠깐만, 소연아!
그건
오해야….

오해라구.

소연이는
확실히
저 서태웅이란
녀석을 좋아하고
있어.

그래,
맞아.

그렇게
우니까
더 못생겨
보이잖아!

신이여!
제가 그렇게
밉습니까?

어엇!

크흑!
나에게
이런 시련이
닥치다니….

아아,
그러면 안돼요…!!
깨끗이
소독하고 병원에
가지 않으면!

서, 서태웅군,
어서 피를
닦아요!!

됐어!!

이정도는…

강백호와 서태웅―.
숙명적으로 영원한
라이벌이 될
두 주인공의
만남이었다.

♯4 고릴라 주장

아이~
~참!

어쩌지…?

그게 나의
오해였다니….

아 휴…

폭력을
휘둘러
사람을 다치게
하는 건
용서할 수
없어!

이젠
꼴도
보기
싫어!!

'물'이
아니라
'불'이겠지.

그런 심한
말을 하다니
얼굴에서
'물'이 날
정도로

창피해
죽겠어!

…!!!

얘기?

도대체 넌 뭐야?

사과해야 하는데, 백호를 볼 낯이 없어.

어차피 잘됐지 뭐야. 그런 불량학생...

그보다 서태웅 선수와 얘길 했다며? 부럽다, 얘!

방과후에 백호에게 사과하러 갈테야!

꼭!!

좋아!! 이 이상 더 괴로워할 순 없어!!

방과후

그만 놀려~!

아, 안돼. 마음의 준비가 필요해.

그럼 지금 가지 그래?

역시 말뿐 이구나!

엇!!

이봐, 미안, 미안! 그만 공이 미끄러져서 …!!

아얏…?!

1학년 강백호잖아!

앗…! 빨강머리!!

일부러 그런 게 아니니까, 좀 봐~줘. 정말 미안해.

미, 미안해, 백호군!

응…?

노… 노… 농구공 이잖아!!

이… 이… 이건…!

지금 체육관에서 농구부 주장과 시합하고 있대!!

그것 때문에 온통 학교 안이 술렁거리고 있어!

농구부 주장 이라고?

고릴…?

재촉하지 마, 이 고릴라 녀석!!

이제 빼앗아 줄테니까, 공이나 잘 갖고 있어!!

어찌된 거냐! 금방 공을 뺏을 듯이 잘난 척 하더니!!

이건
완전히
축구잖아!

으랏
차
차
!!

으이구,
저런
바보…

하하!
저런 괴짠
처음 본다!

우하하하!
완전히
골때리는
녀석인걸!!

왜 그래,
소연아?
농구부 주장이
어쨌다는 거야?

농구부
주장과…

농구부
주장이라면…

그렇다면….

야! 넌,
농구와 축구의
구별도
못하냐!!

뭐…
뭐라구?!

농구는
발을
사용하는 게
아니란 말야!

♯5 사랑의 승리
반드시 이길 ─ 테다!!

어떠냐,
이것이 네녀석이
기껏 공놀이라고
떠들던
스포츠다!!

농구를
우습게 본
네녀석에게
매운 맛을
보여줄테다!!

치수로서는
당연한 일이지!
그렇게 끔찍히
사랑하는 농구를
모욕했으니.

준호 선배
….

주장이 굉장히
열받았나 봐!!

자신의 모든 것을
농구에 걸어온
사람이라서….

초등학교 때부터
오로지 농구만을
고집하며,

보통 때는
부드러운
남자지만….

오빠는 농구에
관한 한
광적인
사람이야.

저
괴물같은
사람이
부드럽
다구?

어라?

응, 끈기도 있어!! 백호라면 반드시 멋진 선수가 될 거야!

끈기는 있을 것 같아?

농구부에 들어간다고 했어!!

그래...

올해야말로... 꿈을 이룰 수 있겠군.

으, 응!! 맞아. 이번엔 전국 우승을 할 수 있을 거야!

백호라구!! 훗, 기대되는군.

이젠 상당히 전력이 강해지겠는데?

올해는 네가 좋아하는 서태웅도 들어오고....

뭐?

#6 JAM!

애송이가 농구부 주장에게서 공을 빼앗다니-!!

우와아! 드디어 빼앗았어!!

굉장해!!

해냈어!!

역시 백호는 굉장한 애야!!

굉장해! 모두 백호의 멋진 플레이에 열광하고 있어!

못 먹을 걸 먹었나?

아니, 소연이가 왜 저러지?

백호란 애한테 점점 빠져들고 있어.

왁 왁

아까까지만 해도 그저 재미로 보고있던 어중이 떠중이들도 열이 올라 응원하고 있잖아.

준호 선배…

저 녀석… 보통내기가 아닌걸?

치수한테서 공을 빼앗다니….

저길 봐.

왁

줄줄 얼

…….

아, 그래. 왠지 보통 녀석이 아닌 것 같아.

저 녀석을 보면 뭔가 저지를 것 같단 말이야.

뭐라해도 저 녀석은 우리 친구니까-.

그렇지? 맞아, 맞아.

이카미

좋아, 강백호한테 걸겠어!

나도!!

나도!!

자아, 자아.

기회는 찬스 입니다.

자, 어서 거세요.

응응 응응

왁 왁 왁

소연아….

오빠, 그 사람이 강백호야!

농구부의 구세주가 될…!

힘내야
돼!!

와와! 드디어
일어섰다!
또 퇴짜맞을
준비가
된 거야!!

싫어한 게
아니
었다구ー!

날
싫어한 게
아니었어!!

네녀석한테도
그따위
잔재주가
있었군!!

자아, 어서
덤벼라!
빨강머리!!

히야~
공을
완전히
가지고
노네!!

간닷!!

야,
이봐!
잠깐만!!

와하하하!

공을 들고
3보 이상
가면 안돼!!

드리블을
해야지!!

너,
럭비하는
거냐!!

자기
좋을대로
하게.

치수
선배…

내버려
둬!!

!

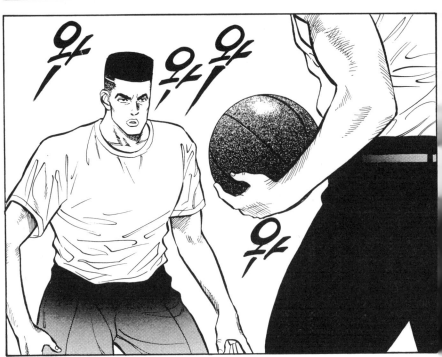

뭔가
노리고
있구나!!

저걸
잡아서
그대로…!?

아니!?
설마〜.

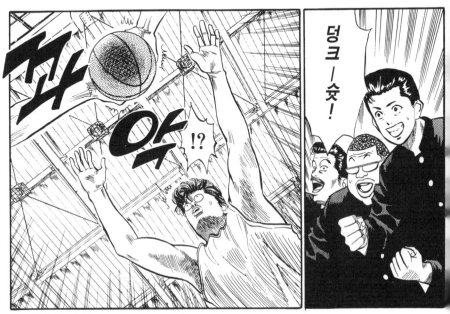

덩크
ㅡ슛!

아얏! 주장이 먼저 공을 가로챘어!!

소연아!

봤지!? 덩크슛 말이야!!

주장, 괜찮아요!!

뭐, 저런 녀석이 다 있나!

굉장한 점프력과 파워야!!

도저히 믿을 수 없어!

소연이 네가 가르쳐준 슬램 탱크로 고릴라 녀석을 이겼어!!

"골대 안으로 내리쳐라"고

응! 슬램덩크!!

덩크!

소연이 네가 말했잖아~! 하하!

저기, 백호야….

지금 저 고릴라를 묵사발 만든 그 기술 말야!!

그보다 백호가 슬램덩크 하는 거 봤지?

소연이가 가르쳐준 슬램~ 덩~크!!

백호야…. 저번엔 미안했어.

내가 오해를 해서 그런 심한 말을 하고 말았어.

아냐, 아냐! 전혀 마음쓸 것 없어!!

어제 농구 대결은 정말 대단했어! 치수 선배가 지다니.

그 강백호란 녀석한테 말야.

뭐, 엄밀히 말하면 거의 전부 파울로 이긴 거였지만.

누, 누구야!?

응?

엇, 자물통이 부숴져 있잖아.

어차피 규칙 따위는 무시하고 한 시합이니까.

이봐, 열쇠 줘, 열쇠.

될 리가
있냐.

그렇게
되면....

다음은
그 서태웅이란
녀석을
때려 눕히는 거야!
그럼 소연이도
날....

으아악!!

간닷-!
슬램
덩크!

예!
예!

졌지!

역시,
멋진 백호!

뭐,
뭐라구
?!

앗,
오라버님!!

여기가
응원단인 줄
아냐!
고막 터지겠네!

인사
여쭙겠습니다!

강백호
입니다!!

우리
함께
열심히
해봐요!!

이젠
염려 마세요.
이 바스켓맨
강백호가
있으니까요.

뭘 염려
말라는
거야!?

그때 엉덩이 보인 걸 가지고 아직도 '꽁' 한 건가….

저벅 저벅

자, 모두 연습 시작한다!

아아아

꽉꽉 꽉꽉

어서들 옷갈아 입어!

아니, 그런 심한 농담을 하시다니! 이 바스켓맨, 백호가 입단할 수 없다면 그 누가 하겠습니까?

으….

삑

절대 인정할 수 없다.

너의 입부 따위,

그 '오라버님' 소리 좀 그만둘 수 없냐!

저어… 오라 버님!

너같은 애송이와는 용과 지렁이 차이야!

태웅이는 신라중학 주장으로 상당히 유명했던 선수다. 내가 가장 탐냈던 인재야!

까불지마.

서태웅 이랑 너랑 똑같냐!

서태웅이는 어떻게 된 거예요! 농구부에 가입했다고 들었는데….

어서 서둘러야 돼! 어서!!

그거 큰일인데!

내가 양호실에 데려다 줄게요!

글 - 쎄. 어쨌든 주장은 농구를 무척 사랑해.

다른 건 없어? 다른 거 말이야.

늘 뒤죽박죽 이야.

저 녀석...

절대 입부 시켜선 안돼...!

아얏!

깔끔한 걸 좋아한다고?! 그거다!

또. 굉장히 깔끔한 걸 좋아하고....

잘못된 건 못 봐.

맞아, 성격이 엄격해서

그런 거 말고! 좀 더 구체적인 거.

그건 써먹을 수 있겠어!!

그래 그래, 엄격해서....

그래 써먹을 수 있는 거...?

뭔가 써먹을 수 있는 거 말이야!

음음....

3학년 6반

다음날—

이, 이제 됐지?

깔… 끔… 한… 걸… 좋… 아… 하… 고….

나 이제 가도 되지?

좋아하는 건 바나나일 거야.

바… 나… 나… 라고?

아니, 잘 먹는 음식이나 어떤 여잘 좋아하는지 말해봐.

좋아! 자리에 없구나….

!!

요 앞 수퍼마켓에서 배달왔는데요. 채치수 씨의 자리가 어디죠?

이것도.

으쌰.

여… 여긴데요?

아! 거깁니까?

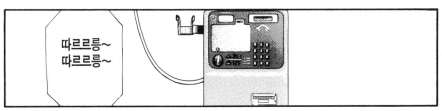

소연아…

콩앙

이 배신자들!

제길! 애초에 시작하는 게 아닌데….

좀 더 좋은 방법이 있었을텐데.

더 이상 못해!

다른 방법을 찾아보자.

사랑이 뭐길래… 날 이렇게 괴롭히나….

이만큼이나 해놨는데 또 그 고릴라가 아까처럼 내가 한 게 아니라고 생각하면 헛고생만 하게 되는 거잖아….

끈기라면 물론 자신있어!

오빠가 말했는데, 괜찮겠지?

끈기없는 사람은 안된다고

아아, 졸려 죽겠네…!

역시 그만두는 게 나을까…!

오늘따라 왜 이렇게 배가 고프냐….

아니야, 끈기다, 끈기!

……

아, 안돼. 참아야지!

도대체 이 자물통을 얼마나 부술 작정이야….

엇?!

또, 그 녀석 인가….

우함….

이, 이건?

너무 낡아서
안 쓰는 공까지
닦아놨잖아…!

호오…

얼씨구, 여기저기
빨강머리까지
떨어뜨리고….
일부러 떨어뜨린 게
눈에 보이는군.

공마다 모조리
자기 이름을
써놨잖아…?

어?

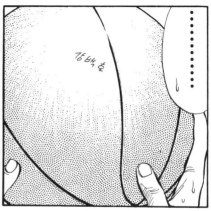

후후…

이건 완전히 애잖아….

소연아… 음냐 음냐~

……

연습 시간이 될 때까지 내버려 둘까?

더, 더러워 지잖아!

체육관 밖에서 연습하란 말이야!

안돼!

어서 나가! 꺼지라구!

앗ㅡ 발자국이!

그런 억지가 어딨어?

강백호 입부

이봐, 소연아! 백호가 농구부에 들어갔대!

소연이 오빠가 그 녀석의 끈기를 인정해준 거야!

가자!!

한번 놀려주러 가볼까?

안돼! 응원해 줘야지!

그럼, 오늘이 입부 첫날이겠구나!

강백호, 참아야 되느니라!!

· · · · · · · ·

서태웅 따위와는 차원이 틀리지···!! 이런 녀석 상대할 필요없어···!!

난, 주장에게 이긴 남자다! 다시 말해 차기 주장을 약속받은 남자!

우리 중학교는 저 녀석 하나 때문에

늘 패배 했어.

사인 이라도 받아둘까?

야, 쟤가 신라중학에서 온 서태웅이야.

훗···!! 다들 눈이 삐었군. 여기 차기 주장님이 이렇게 계신데 말이야···.

어제 혼자서 이 일을 해낸 아주 기특한 남자가 있었다.

!

껄껄

엽엽요

잘 본받도록.

먼저 신입부원의 역할을 말하겠다.

난, 주장 채치수다.

또, 연습 전후에 코트 청소, 이 두 가지는 절대 잊지 말 것.

연습 전에 공 닦아놓기.

혼자서 그렇게 하기란 참 힘들텐데!

훌륭한 인재야.

엽엽엽요

어흠!

호오~ 정말 기특한걸! 누굴까ー?

흠흠!

백호야, 힘내야 해….

뿅

소연아…!

보고있는 거지?
이 바스켓맨
백호의 늠름함을…!

소연이의 시선

너, 누구
응원하니?

…얘,
얘!

어머,
태웅이가?

정병욱 입니다.

같은 학년 신오일.

이제 우리 소개군.

2학년 달재예요.

지금, 한 사람이 입원해 있으니까 2학년은 모두 4명입니다.

·······

난 3학년인 주장 채치수다. 잘 부탁한다!!

3학년 준호다!

어?

드드득

으랏샤!!

정말 그렇네. 그렇지 않아도 선수가 부족 했는데 잘됐다.

흐음, 올해는 거의 다 농구 경험자로군!

빌어먹을! 왜 나만 구석에서 이 짓을 해야 해…

자, 반대편!!

너무 늦다!

얼~레? 자세를 낮춰야지, 강백호!

이게 기본 자세다!

허리를 구부려!

아휴, 이런 추태를 보이다니… 소연이도 보고 있는데…

입부 첫째날 밤…. 그는 자신이 한 드리블 소리가 귀에서 떠나질 않아 좀처럼 잠을 이룰 수 없었다….

으아악!!

백호야, 농구는 기초가 중요해. 힘내라구!!

#9 기본이 중요

자칭 '차기 주장 확정자'
(자기 혼자서
멋대로 꾸는 꿈임)
강백호(1학년)가
농구부에 가입한 지
1주일이 지났다.

그를
보기 위해
체육관으로
몰리는
여학생들의
수는 날로
늘어가는데.

한편
떠들썩
하게
주목
받으며
가입한
소문의
주인공
서태웅!

본인의 의도와는
정반대로 여전히
코트 한쪽 구석이
지정석이 된
강백호.

백호,
그는 점점
초조해지기
시작했다.

백호가 농구부에 들어간 지 일주일 정도 지났지?

이제 좀 나이졌을까?

그럼 잠깐 구경이나 할까?

그동안 발작이나 안했는지 원….

어차피 진지하게 농구를 한다는 건 그녀석 성격에 맞지 않아.

맞아.

나아지긴…. 슬슬 그만둘 때가 된 거지.

나이스 패스! 서태웅!!

엇?

까악!!

아니!!
슬램
덩크를!

이얏!!

우아앗!

백호야!
난, 오로지
너의 팬이야.

뭐, 땅 짚고
헤엄치기죠.

강백호, 굉장한
덩크슛이다.

너만
믿는다.
잘 부탁해!

오늘 연습
끝날 때까지
기다릴게….
같이 가자.

백호야….

나만
믿어.

소연아.

응.

자, 갈까?

강백호… 소연이를 잘 부탁한다.

저, 두사람 너무 뜨거운걸?

어쩔 수 없는 소연이야…

정말…

그렇게 꽉 잡지 마, 소연아.

뭐 어때!

난 이게 좋은걸!

자, 다음은 볼 핸드링의 기초다!

이 여자도 이게 고릴라와 한패. 이라니 구나!

윽…! 이게 현실 이라니 !

어쩔 수 없는 건 너야!

으이구 지겨워! 나한테 기초라니…

또 기초라구?!

그러기 위해선 역시 기초가 튼튼해야 돼.

뭐?

자… 잠깐 한나 선배 난 언제 다른 사람과 함께 연습하죠?

저 글래머 매니저가 슬슬 불난집에 부채질 하는데?

그래도 멋있다.

어쨌든 초보자니까.

빨리 슬램덩크를 화끈하게 보여주고 싶은데….

내 취향이야.

곧 백호가 폭발하겠어.

예를 들면 이런 거 라든가….

백호가 뭐하는 거지?

어?

이런 걸 재빨리 할 수 있어야 해.

저 녀석,
역시
보통내기가
아니야.

무서울 정돈데…
아무래도 초보자
같지 않아.

와아!

이거
놀랐는걸,
강백호!

어때요?!

훗!

백호 녀석,
확실히 연습시켜두면
상당한 선수가
되겠어…!

그지?
치수야!

응?

이제부턴
다른 부원들과
함께 연습하는
거죠?

아하하핫!
좋았어, 백호.
그 의욕만은
높이 사주지!

아니, 뭐 —.
차기 주장을
맡을 확실한
후보라면
이 정도야…!

그냥
내버려두면
좋잖아!

난
슬램덩크만
하면 된단
말야!

우와아!
이거 완전히
너 죽고
나 살잔데…!

두 사람을
말려야 해!!

야,
강백호!
너 어디
가는 거야!?

그전에 익혀둬야
할 것이
태산같이 많다!!
규칙도 전혀
모르는
애송이 주제에!

강백호!!

이런
형편없는 부는
이제
그만두겠어.

가겠어.

♯10 끈기없는 오후

곧 그만둘 줄 알았다구.

역시, 오래 못 갈 줄 알았어, 백호야.

아니 아니! 일주일이나 계속했으니 백호로선 잘한 거지 뭐.

기적이야.

응? 으응....

백호야, 넌 안 먹냐?

그래, 맞아. 소연이한테 잘 보이려고 들어간 거였으니까.

도대체가 스포츠맨하고는 거리가 멀거든.

쿡…!
이 끈기
없는
놈!!

끈기없는 놈!!
끈기없는 놈!!
끈기없는 놈!!
끈기없는 놈!!

끈기없는 놈!!
끈기없는 놈!!
끈기없는 놈!!

백호야….

이런
형편없는
부는 이제
그만둘래.

가겠어.

꾸———…웅

⋮

틀림없이 일시적으로 감정이 폭발한 것뿐일 거야.

오빠, 나 백호 찾아올게.

내버려둬, 소연아. 녀석은 원래 그런 녀석이야.

어서 시작해!

뭣들 하는 거야! 연습하지 않구!

넷!!

⋮

치수야…

아냐! 달라!

지금까지 그렇게 몇 명이 그만뒀는지 너도 알잖아?

조금만 엄하게 다스리면 못 참고 도망치거든.

강백호도 녀석들과 다를 게 없어.

이게……

…………

우릴 이런 데까지 끌고와서,

뭐하자는 거지?

거기 빨강머리 소년.

끈기없는 놈!!

흠— 대단한 센스야. 흉내도 못 내겠어.

멋진데 그래? 머리도 빨갛고…

이봐, 거기 덩치 큰 놈!!

변비라도 있나?

뭘 그리 멍하니 서있는 거야?

하하하

히히히~.

큭큭큭… 큭큭큭…

못 내는 게 당연하지. 누가 그런 흉내내냐!!

이것들이, 보자보자 하니까!!

야, 빨강머리! 너 눈에 거슬려!!

너 말이야…. 닭이라고나 할까!?

꼬꼬댁 하고 울어 보시지 그래?

달걀도 낳아 보고….

품어도 보고—!

뭐라구!?

그건 우리 잘못이 아니야.

아니라구.

사람을 이렇게 해놓고!!

너, 도망칠 셈이냐!

잠깐.

억지로 가려다간 사고가 나지.

빨간 신호를 위반하려 든 것이 잘못된 거야.

그건 유치원생도 알고 있는 거야.

안 그래?

· · · · · ·

빨간 신호는 '멈춰라' 야!

앗!
강백호!
돌아왔구나!

잘
왔어
!!

뭐
!?

!!

소, 소연아…!

백호야…!!

잘 왔어…!!

역시.

거봐, 역시 돌아왔어.

내가 뭐랬어?

정말 다행이야…

어서 공을 줘!

야호!

좋아, 패스다, 패스!

소연아—!!

SLAM
DUNK

슬램덩크 완전판 프리미엄

와앗!!

그래?

강백호 녀석!
어쩌구 저쩌구
하면서도
이제 농구부원
다워지는걸?

욱···
가냘!?

아야야~
좀 살살해.
상대는 가냘픈
여자란 말이야!

좋아,
다음은
바운드
패스!

그럴
더라도
치수,

너와의
승부만 봐도
상당한
운동신경을
갖고 있는 게
틀림없어.

더
빨리
!!

원래 텅빈
머리니까.
쓱쓱 잘
들어가겠지.

배운 건 확실히
터득하고····.
저렇게 빨리 느는 건
처음 봤어.

다음!

어머?

……

나 참….

인기 좋네, 서태웅?

어?

너무 서태웅, 서태웅하니까….

저어… 연습중인데 집중이 안되거든요….

이름이 레드 몽키 강백호래!

나 이사람 알고 있어.

크다~.

일학년의 보스야.

이상해!

어머… 빨강머리!

빨간 원숭이?!

레드 몽키?

무서워….

빨강머리 강백호!!

풋! 저 애도 여자애한텐 별 수 없구나.

넌 누구야?

응?

그 머리는 또 뭐구?

이봐요! 영감님! 멋대로 들어오면 어떡해요?

앗!!

이 배는 또 뭐야?

영감님한테까지 그런 말 듣기 싫다구요!

남의 머리를 갖구!!

내 이름은 바스켓맨 강백호!

날 잘 모르겠다면 가르쳐 드리죠!

이구~ 늘어지네,

늘어져.

아냐, 아냐! 채치수군.

모르고 한 건데 뭘.

이거 정말 죄송합니다, 안감독님!

이 녀석은 삶든 굽든지 어떻게든….

바보.

감독?

그때 별명이 흰머리 호랑이….

어디서 들어본 것 같은데…!

지금 모습에서는 상상도 할 수 없지만, 5년 전까지만 해도 모대학 호랑이 감독으로 소문났었대.

저래봬도 젊었을 땐 국가대표 선수였대.

안한수 감독님인데 가끔 오셔.

흰머리 부처님이라고 부르고 있어.

하지만 지금은 저렇게 온화해져서

저 뚱뚱이가 …?!

아참, 그렇지.
연습게임을
정해놨네.

능남고교
하고 말야.

작년 도내
4강하고요?

능남이라
구요?

흠!
신입생이
꽤 많은걸!

네?
시합을요!?

좋아!
그렇다면
1학년 대
상급생으로
시합해보도록.

왜 갑자기
시합을…?

넌 아직
멀었어.

2·3학년이
적으니까
1학년도 곧 시합에
나가게 될 테니까.

1학년의 실력이
어느 정도인지
시험하기
위해서일 거야.

흥,
하나도
재미없다.

이거
재밌겠다.

1학년 대
2·3학년
이라….

1학년 대
상급생?

예!?
시합이요?!

어머!
소연아!

소연아!
소연아!

마침
잘 왔어!

할 수 없지 뭐.

참 그렇지…. 백호는 이제 막 시작 했으니까.

백호도 나가니?

얘는 아직 기초연습 중이야.

꾸준한 노력은 언젠가 꼭 보상받게 된다고 오빠가 그랬어.

너무 초조해 하지마, 백호야!

내 생각도 그래.

맞어.

나가고 싶다! 나가고 싶다! 나가고 싶다!

아아! 점점 더 시합에 나가고 싶다.

소연아…

나가고 싶다. 이젠 인기줍음 생각상구름…

소연이한테 답보이고 싶어

이렇게 상냥할 수가…

시합이
될까…!?

하지만
1학년 대
2·3학년
이라니….

꾹

꾹

채치수 선배 대
서태웅이란
뜻이군.

좋아!
시작하자!!

서태웅…!

·············

봐주는 것
없기다!!

어쩐지
예감이
안 좋아….

음…

1 **SLAM DUNK** (完)

슬램덩크 완전판 프리미엄 1

2007년 9월 23일 1판 1쇄 발행   2023년 2월 14일 2판 3쇄 발행

•

저자 ┈┈ TAKEHIKO INOUE

•

발행인 : 황민호
콘텐츠1사업본부장 : 이봉석
책임편집 : 김정택/장숙희
발행처 : 대원씨아이(주)

•

서울특별시 용산구 한강대로 15길 9-12
전화 : 2071-2000 FAX : 797-1023
1992년 5월 11일 등록 제 1992-000026호

•

•

ISBN 979-11-6944-794-2 07830
ISBN 979-11-6944-793-5 (세트)

•

SLAM
DUNK
슬램덩크 완전판 프리미엄

SLAM
DUNK

슬램덩크 완전판 프리미엄